SV

Band 1528 der Bibliothek Suhrkamp

Arno Schmidt

in

Schwarze Spiegel

gezeichnet
von
Mahler

Suhrkamp Verlag

Schwarze Spiegel erschien zum ersten Mal zusammen mit *Brand's Haide* im Oktober 1951 unter dem Titel *Brand's Haide. Zwei Erzählungen* im Rowohlt Verlag, Hamburg.

Erste Auflage 2021
© Suhrkamp Verlag Berlin 2021
Mit freundlicher Genehmigung der Arno Schmidt Stiftung, Bargfeld
Druck: Pustet, Regensburg
Printed in Germany
ISBN 978-3-518-22528-8

Schwarze Spiegel

Atombomben und Bakterien
hatten ganze Arbeit geleistet.

Also:

Früher wars wohl
adrett gewesen.

Aus grauen Mauern
machte man Häuser;

aus Häusern Städte,

aus Städten Kontinente:

wer fand sich da
noch durch!

Bloß gut,

daß Alles
zu Ende war;

und ich spuckte aus:

Ende!

Ein Bahnübergang:

Früher mochte um diese Zeit
‹ein Zug› hier vorbeigefahren
sein.

Jetzt war Alles still:
und schöner!

Also weiter—

mit müder Eleganz,
à la Herr der Welt.

aber nach rechts
oder links ?

also so geht das nicht!

die Aufstellung für nächsten Sonntag
(den sie nicht mehr erlebt hatten!):

Rosan, der linke Verteidiger,
Mletzko und Lehnhardt die
Außenstürmer, Nieber in
der Mitte;

ach, du lieber Leviathan,
weiß und rot mochte ihr
lustiger Dreß gewesen
sein, oder gelb und schwarz.

Hier

hatten die Hunderte
gestanden und begeistert
ihre Hütchen in die Luft
beordert, wenn »Opa«
einen Alleingang machte.

Ich zuckte sämtliche Achseln.

nun: wünsche Glückseligkeiten!

Ein klavier:

ich klaubte eine Handvoll
Mißtöne zusammen
und

acherontisches Geschwirre,

no use.

Orpheus benötigte ich dringend:
der hätte mir Holz und Kohle
herleiern können.

Oder ne Badewanne.

Ein Baräckchen:

Schnaps und Munition !
80 Schuß schienen o.k.;

die nahm ich mit.

Rin in' Sack !

(Was werd ich mal in
der Hölle sammeln?:
vielleicht Hufabdrücke
der Teufel.)

(aber hübsch sah das
linde Gelbgrün aus);

höchstens ne Decke.

das war nun das Ergebnis!

Jahrtausendelang hatten sie
sich gemüht: aber ohne Vernunft!

Hätten sie wenigstens durch
legalisierte Abtreibung und
Präservative die Erdbevölkerung
auf hundert Millionen stationär
gehalten; dann wäre genügend
Raum gewesen.

> **Ach,**
> es war doch gut,
> daß Alle weg waren.

Es war doch richtig so—

Ich
nahm die Brechstange hinten heraus und
flash and report

Ein Toter:

sein Gestank hatte
Zwölfmännerstärke:
also wenigstens
im Tode Siegfried.

Aber:

der lakonische Mond.

Ob außer mir überhaupt noch jemand übrig war?

In der modernen Ruine:

Familienbilder mit
hausmachernem Lächeln.

Leben ist ein Hauch nur –
da da da dada

Seit fünf Jahren

hatte ich keinen Menschen
mehr gesehen,

und war nicht böse darüber.

Ja, und es währt nicht: la~a~ang!
sum sum sum-
sumsumsum

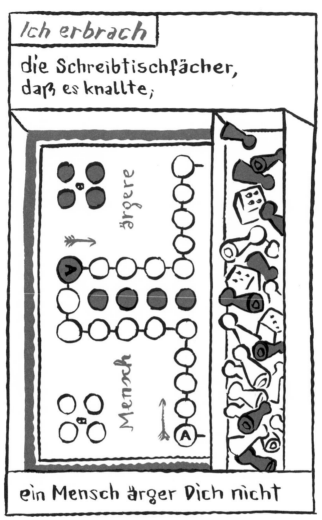

Ich erbrach

die Schreibtischfächer,
daß es knallte;

ein Mensch ärger Dich nicht

(wie zum Hohn),

und ich wurde
zusehends
ungehalten.

Gute Witze,

lustige Kleinkerlchen von
<BU>,

und ich lachte wehmütig.

(H.-J. Bundfuß; sehr gut)

Beim Grammophonspielen:

und ich erschrak des Todes:

DUKE ELLINGTON
SEIN GESICHT!!

(Dafür kann er ja vielleicht
nischt; aber dann noch solch
akustischen Abfall zu produzieren:
dadurch wirds ein Makel).

Ohne Worte

Ich bin nicht für's Moderne;
man hat es vielleicht schon
gemerkt.

GONDEL
magazin

Jahrg. 1955 • Heft 2 • DM 1,50

INHALTSVERZEICHNIS:

Rückseite: Corny Collins

Früher
nackt-
heute?
Afrika

Da mußte ich doch
schlucken, und einige
Häuser zurückreiten.

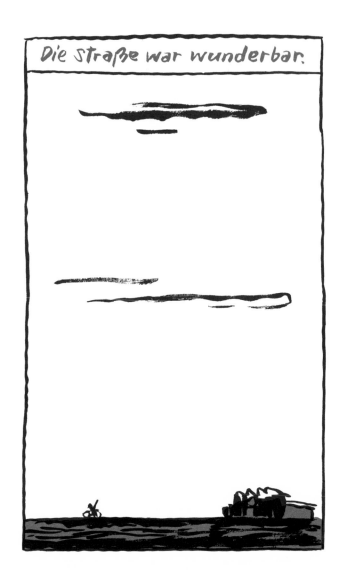

Die Straße war wunderbar.

(Stille:
gut!)

Ich brauchte
Niemanden!—

Es lebe die Einsamkeit!

»Ich fürcht mich so
    im Dunkälln –:
        nach Haàus zu gehn.... «

46

Meine Hände riechen nach Cheddar-Cheese;

mein Gesäß juckt:

wie wird das erst riechen!

(Das sind keine Witze, sondern Abscheu vorm Organischen).

Nacht:

ich konnte und konnte nicht
einschlafen.

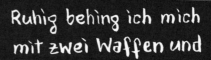

Ruhig behing ich mich
mit zwei Waffen und

mischte mich in die Nacht:

haderte mit
Zweigen,

ahmte
Menschenstimmen
nach,

wurde Moosen gut.

Das also war eine Zentaurin!

(auch war die Stimme
sehr kräftig; komisch)

Wie macht man Konversation mit einer jungen Zentaurin?

Am besten einfach drauf los, was?

Wie alt bistu?

Oh. Ich hab heut Geburtstag: 24 Gow=chrómms schon.

Gow=chrómms?

Sie mußte erst umschreiben, was das ist: was nachts krumm leuchtet; immer anders rund.

(Also unfehlbar der Mond!)

Ich war mal oben,

als
Kurier.

.???

Iss furchtbar
enttäuschend,
das Ganze.

Der Morgen widerte mir
entgegen; denn

54

Ffffffffff-aufhörn!!

Wer weiß,

ob Herrschaften in der vierten Dimension nicht alle 10 000 Jahre ne Zeitraffer-Aufnahme von unserem Weltall machen:

da ist die Erde nur ein Plattenfehler!

Und wieder stürzte ich Türen,
schlug Kellerfenster ein,
zwängte mich durch Mauern –

(Knochenhaufen, Rippenkörbe
stören mich nicht mehr.)

Ich salutierte den beinernen Poeten mit der Flasche.

Ein literarischer Hungerleider, Schmidt hatte er sich geschimpft.

‹Leser›?? ~Nee!! Sowas kenn ich nicht.

(den Schädel müßte man mitnehmen und bei sich aufstellen).

Also daß dies Pack
weg ist, versöhnt
mich wieder mit der
großen Katastrophe.

(Und wenn ich erst weg bin,

wird der letzte Schandfleck
verschwunden sein:
das Experiment Mensch,
das stinkige, hat aufgehört!)

Solche Betrachtungen

Bü

stimmten mich
wieder fröhlich.

Auch die Taten
lachten munter
mit.

Whisky: kalt und sehr stark!

– Noch einen kleinen:

BAR

Nur Narren oder etiolierte Ästheten sind Abstinenzler: die können nie erlebt haben, wie Schnaps bei völliger körperlicher Erschöpfung Wunder wirkt.

kann ich Menschen ohne
Gelüste nicht ausstehen. –

Überhaupt keine!

Und mit Whiskyschwung

an den Deichen entlang.

I give my vote:

FLACHLAND!

Sonnenuntergang:

die untergehende Sonne selbst ist nicht schön!

Aber später der Himmel.

Eine Zentaurin mit Brille war
bestimmt was Neues!

Äußerstmerkwürdich!

Die Baracken unserer Köpfe,
haunted palaces,

Sonst nichts Neues:
>an Bord alles unwohl<.

Ich war so haß-voll,

daß ich die Flinte ansetzte...

(Ein Buchtitel fiel mir ein:
»Hör mal!« = Gespräche mit Gott.)

Viel geflucht.

(heißt »concrete«
nicht Zement?)-

Was sollte ich

in den Menschenhöhlen?
Wieder die ewigen
Skelette betrachten?

Wieder denken:

das mag ein Dicker gewesen sein,
der zufrieden am Abendwürstchen
kaute;

dies ein Leptosomer mit
Baskenmütze und
Menjoubärtchen;

dort ein Trottel mit
oder ohne Brille.

Auch drohte ein
kurzer Platzregen.

73

Des Menschen Leben:

das heißt vierzig
Jahre Haken schlagen

Und wenn es
hoch kommt

oft
kommt
es einem
hoch!!

sind es fünfundvierzig;

und wenn es köstlich
gewesen ist, dann war
nur fünfzehn Jahre
Krieg und bloß dreimal
Inflation.

Oder ob ich mal'n Schluck
Schnaps versuche ?

Stück Landstraße. Mond. Ich. :

Wir starrten einander an,

bis es dem
Steinernen
oben zuviel
wurde.

— Soso. —:

Also die Never=nevers!:

das waren Riesenspinnen!

Vorn dran
ein fatales
Europäergesicht.

Aber wirklich:
solche Mistviecher!

Im Grauen liegen, wie in
geschmolzener Erinnerung.

wirft Schachfiguren um.

Aber zu lang
ist das Alles:
Das nenne ich
überentwickelt.

JANUAR 1951   E 1736 EX

Das Beste
aus Reader's Digest

ARTIKEL UND BUCHAUSZÜGE VON BLEIBENDEM WERT

Unser Buchauszug
ist gut: sogar witzig und kulturhistorisch
plastisch; sehr fein!

Umschlagbild „Heroische Landschaft"
von Joseph Anton Koch

READER'S DIGEST - die größte Zeitschrift der Welt.
erscheint in 16 Sprachen mit monatlich
22 Millionen verkauften Exemplaren.

(oh, war ich
wütend!)

Am Ende

bleibt nur:

Kunstwerke;
Naturschönheit;
Reine Wissen-
schaften.

In dieser
heiligen
Trinität.

83

Und gut in Form bleiben.

(Energie ist Glückssache.)

Der nackte Bronzereiter

mit seinem blödsinnigen Hütchen

Kopfschütteln, kopfschütteln,

unsagbar scheußlich
das Grün,

»Die große Lähmung«:

seit Leonardo die
beste Allegorie.

Oh Gott!
Schon wieder
lugte irgendeine
»knieende« um
die Ecke!

ogottogottogott

Alles alter Rambo.

» Frauengruppe aus einer Kreuzigung «:

schöne Farben;
aber sonst Magermilch.

»Der Dämon«

ei, der muß mit!

Ein Mönch

in Habt-Acht-
Stellung vor
Gott.

Dann geriet ich
noch in eine
Helmsammlung !!

91

Dämmerung:

für eine phantastische Erzählung
fiel mir ein:

Achamoth

oder

Gespräche der Verdammten

das ist

gründliche und wahrhafftige
Beschreybung der Reise, so
Giovanni Battista Piranesi,
napolitanischer Schiffer,
in autumno des Jahres 1731
nach
Weylaghiri, der Höllenstadt,
gethan;

neuerlich zu sonderbarer
Belehrung und geistlicher
Befestigung des teilnehmenden
publici sorgfältig ins Teutsche
übertragen.

Mein Leben ?!=

ist kein Kontinuum!

(nicht bloß durch Tag und
Nacht in weiß und schwarze
Stücke zerbrochen!)

94

That's me! :

ein Tablett
voll
glitzernder
snapshots.

„Kein Kontinuum, kein Kontinuum!"

4 Wochen Später

Also

Halbwach:

Die schrille Sonne

Silent killing

Also jetzt die
Karteikästchen.

Schöne nachdenkliche Arbeit;
im hellgelben Abend.

Mit irren Händen im
Gebüsch blättern.

Hellsehen,

Wahrträumen,

second sight,

und die falsche Auslegung dieser unbezweifelbaren Fänomene:

Der Grundirrtum

liegt immer darin, daß die Zeit nur als Zahlengerade gesehen wird,

auf der nichts als
ein Nacheinander
statthaben kann.

und in Ausnahmezuständen
durchaus schon wahrnehmbar.

Raum und Zeit

sind wesentlich
komplizierter
gebaut, als unsere
vereinfachenden
Sinne und Hirne
begreifen.

Ein feines hohes
Bellen unter der Erde?!

– Einmal, noch in Rußland,

vier Frauen: drei Junge,
eine Alte. Dabei ein Mann.

Die Alte hat erst die
Jungen vergiftet.

Dann hab ich sie
vorsichtshalber übern
Haufen geschossen.

Ich würgte heraus:

Und der – Mann?

– Blutvergiftung.
6 Wochen später.

-Und? Affaire Nummer zwei?

Lag im Sterben:
eine 80 jährige
Polin.

-War nicht schön!

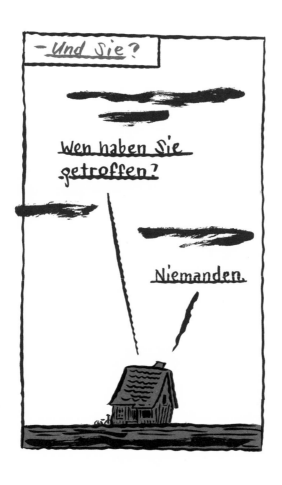

Resümieren:

- <u>Wir wissen also durch Autopsie,
daß ganz Mitteleuropa
menschenleer ist-</u>

Sie
nickte.

- <u>Haben sie in der Zeit jemals
ein Flugzeug gesehen</u>?

- <u>Personne.</u>

– Was bleibt eigentlich?

sagte sie tiefsinnig.

Meine Theorie ist:
daß, getrennt durch
sehr große Räume,
hier und da noch
ein paar
Einzelindividuen
nomadisieren.

werden, des rauhen Lebens und der Wild-krankheiten ungewohnt, wahrscheinlich rasch aussterben.

WATCH
OUT
FOR
FLYING
PARTS

SCHRECKLICHE
FOLGEN

Und es ist gut so!

117

-Begründung?

-Rufen Sie sich doch das Bild
der Menschheit zurück.

da rannten die Beine!

In Waffen ganz groß!

Was waren die Ideale eines Jungen?

Rennfahrer,

General,

Sprinterweltmeister.

Filmstar,

Mode <schöpferin>.

Der Männer:

Haremsbesitzer

und Direktor.

Der Frauen: Auto, Elektroküche,

der Titel ‹gnädige Frau›.

Der Greise:

Staatsmann

Die Luft ging mir aus.

ist von Natur mit Allem versehen,
was zum Wahrnehmen, Beobachten,
Vergleichen und Unterscheiden
der Dinge nötig ist.

sie hat zu diesen Verrichtungen
nicht nur das Gegenwärtige
unmittelbar vor sich liegen
und kann, um
weise zu werden,
nicht nur ihre
eigenen
Erfahrungen
nützen;

<u>auch die Erfahrungen aller vorher-</u>
<u>gehenden Zeiten</u>

<u>und die Bemerkungen einer Anzahl von</u>
<u>scharfsinnigen Menschen,</u>

<u>die, wenigstens sehr oft,</u>
<u>richtig gesehen haben,</u>
<u>liegen zu ihrem</u>
<u>Gebrauch offen</u>.

<u>Es ist keine Art von Torheit,</u>
<u>Laster und Bosheit zu erdenken,</u>
<u>deren Ungereimtheit oder</u>
<u>Schädlichkeit nicht schon</u>
<u>längst so scharf als irgend</u>
<u>ein Lehrsatz im Euklides</u>
<u>bewiesen wäre:</u>

Und dennoch!

Dessen Allen unerachtet, drehen sich die Menschen seit etlichen tausend Jahren immer in dem nämlichen Zirkel von Torheiten, Irrtümern und Mißbräuchen herum, werden weder durch fremde noch eigene Erfahrung klüger, kurz, werden, wenns hoch in einem Individuum kommt, witziger, scharfsinniger, gelehrter...

...aber nie weiser.

Schuld daran?

Ist freilich der **Primo Motore** des Ganzen, der Schöpfer, den ich Leviathan genannt, und langweilig bewiesen habe.

129

Betten machen:

Sie schlief auf der Riesencouch (Einsdreißig breit!)

Ich leg mich in die Küche.

Hm-M.

Das versprach ein Roman zu werden, mit allem *avec*.

Hände im Holz des Türrahmens.

Dieses Abenteuer von einem Weibe!!

ich habe
8 Jahre lang
keine Frau
mehr gesehen!

- Was hastu für ne Größe?
- Frag nich....
      DREIUNVIRZICH!

—Gute Nacht.

—Gú-té-Nácht.

bis ich endlich

die Hände abnahm
und zärtlich das
Holz betrachtete.

Blödsinnige Einrichtung, daß da ständig
sonne lackrote Schmiere
in uns rum feistet!

(Die Wand drüben hüstelte.)

(Und erst
5 Uhr 30!)

| Ich legte |

die langen grauen
Verführerhosen an,
30 cm Schlag,
und den breiten
schwarzen Gürtel
mit der piratengroßen
Messing schnalle.

(darunter ein Paar seegrüne Turn-
höschen: denn heute würdes ja
heiß werden.)

Wieso? –

Woher wissen Sie
denn, daß ich bleibe?

Richtig: Eins Null.

schlug ich vor;

Aber staak!

Ich blies nur so durch die Nase,

höchstens
2,
3
Lungenzüge;

will mirs
nicht mehr
angewöhnen.

Und sah sie
heiter= und
verzweifelt=erotisch
an:?

Wenn's bloß klappte!

(good for
squaw to
do that)

Was meinst Du, was ich uns da kochen kann!

-Na dann.

-He?

-Hemingway.

-Nee.

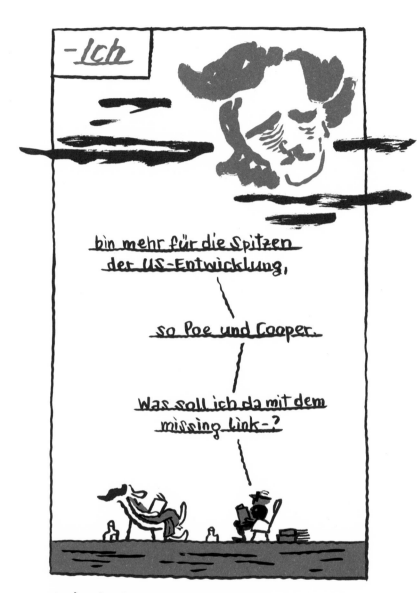

–Ich

bin mehr für die Spitzen
der US-Entwicklung,

so Poe und Cooper.

Was soll ich da mit dem
missing link–?

–Und Wolfe und Faulkner?

–Und Wolfe und Faulkner.

–Heute

brauchst du endlich
nicht mehr in der Küche
zu schlafen.

Da stand sie;
nackt;
oben ein
kaltes
Lächeln,
unten
Pantoffeln.

--!--

Und dann
griffen wir
unverzüglich
nacheinander,
carpe diem!

Knorr
36 Sorten
Suppen

Unsere Körper schmatzten eine gute Weile miteinander.

Wir hupten an schönen Beulen und langen Wülsten, überall.

Noch atmend von der Arbeit der Liebe,

lagen wir nebeneinander.

(Wie gut, daß wir nicht genau wissen,
wie sehr wir die Frauen ennuyieren
und anekeln.)

(Kurz draußen)

Schwarze Spiegel
lagen viel
umher.

>Hat viel geregnet<
heißts wohl auf
Einfachdeutsch.

Mit m Wackelboot

durch den Orionnebel.

ein Mädchen als Gepäck,
eine Schnapsflasche,
das Hannoversche Staatshandbuch
von 1839.

—Na, komm mit.   Ins Graue.

(Das sah allerdings trostlos aus
und wackelsteif, wie wenn
Backsteingotik nieste oder
ein Hochspannungsmast.)

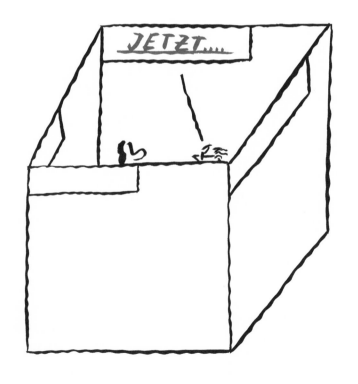

160

Ich wünsch mir auch was...

Sag, was Du willst,
und ich tus.

Na?!

- Ehrenwort?!

VERFLUCHT!

„Worte, Worte; blöd, blöd."

tarattattaaaaaaa!!!

Sie las (bequem im Sessel): meine Erinnerungen.

Ich durfte stumm zusehen.

(Gut schaute sie aus mit dem langen schlanken Kleid; aber man hätte nach 8 Jahren wohl Helena in jedem Weibe gesehen, mahnte der Kritikus.)

Warum kann man andere Menschen nicht an sein Gehirn anschließen,

daß sie dieselben Bilder, Erinnerungsbilder, sehen, wie man selbst?

(Es gibt aber auch Lumpen, die dann)

und wir hörten es
ums Haus kiefern
und hauchen.

Nächtliche Frösche:

auf dem Rücken lauschten wir
unserem Gemisch aus Herzschlag,
Atem und Unkenruf.

Es gibt Menschen

die man nur beschreiben, nicht mehr verstehen kann:

so sah ich einmal Einen, der las bei seinem Wiener Schnitzel eine ganze Stunde lang in Dostojewskis Totenhaus.

— freilich war es ein leitender Angestellter der Textilbranche ...

171

Und ein ganzer Clan grauer Wolken,
ladies from hell, marschierte heran.

-_Dann komm ich wieder._

flüsterte sie tröstlich,
atmete hoch und tief.

Traurig und schön.-

-kein Mensch kann für seine Natur.

Sie tastete
nach der
Africaine=Packung.

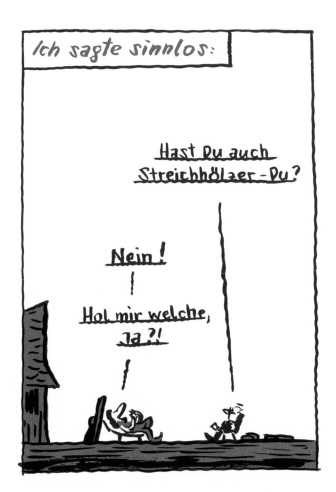

Wo sind die denn?!

Fort:

Sie war fort!

Natürlich!

Blødes Gesicht.

Inmitten
Pflanzen.

In der Rechten ein Paket
Streichhölzer.

Der letzte Mensch.

Auch Wind kam auf.

Wind.

Text- und Bildquellen

Textquellen

Folgende Passagen sind nicht *Schwarze Spiegel* entnommen:

Aus dem Leben eines Fauns: S. 38 (unten), 66, 67, 76, 80, 83, 84 (oben), 87 (unten), 88 (oben), 89, 94, 95, 96 (unten), 97 (oben), 173 (unten)

Brand's Haide: S. 16, 28, 53 (Mitte), 57, 69 (oben), 70, 71 (unten), 72, 76, 81 (»Gefühle des Dasitzenden«; »Heroische Landschaft‹ von Joseph Anton Koch«), 96 (»Halbwach«), 117 (Mitte), 158–159, 163, 167, 171

Das steinerne Herz: S. 20, 62 (unten), 77 (unten), 79 (unten), 81 (»Vor meiner Tür«; »Die schwarze Pfanne der Nacht«; »Also Night Thoughts«; »Aber die geräumige Gegenwart«; »Zementpfosten mit Maschendraht«; »Verwackelte Wolkengestalten«), 132 (unten), 136–137, 146–147, 152 (Mitte), 153 (unten), 170, 176 (unten)

Die Gelehrtenrepublik: S. 56, 68, 75 (unten), 78, 79 (oben), 103 (unten), 154

Seelandschaft mit Pocahontas: S. 32, 68 (unten), 69, 99–102, 127, 152 (unten), 153 (oben), 156–157

Trommler beim Zaren: S. 34

»Und nun auf, zum Postauto!« Briefe von Arno Schmidt. Hg. v. Susanne Fischer u. Bernd Rauschenbach: S. 70 unten (Brief an Krawehl, 22.11.1978), S. 75 oben (Brief an Alice Schmidt, 03.09.1955 17.30 Uhr)

© Für alle Zitate: Arno Schmidt Stiftung, Bargfeld

Das Zitat auf S. 37 stammt vom Titelcover des Magazins *Die Gondel*, Heft 235, IV. V. J. 1968.

Bildquellen

Die Bildmotive auf den Seiten 32, 34, 62, 95, 118, 119, 128 und 163 sind Witzzeichnungen im Stil von Hans-Jürgen Bundfuß, einem in den 1950er Jahren populären Humorzeichner, der in Schmidts Kurzroman *Brand's Haide* Erwähnung findet.

Die Zeichnung auf Seite 120 bezieht sich auf das von Bundfuß gezeichnete Cover des Romans *Sieger im Schwergewicht: Hein Müller und Spinnewipp wird Hürdenläufer* von Wilhelm Gaspari (Kleins Druck- und Verlagsanstalt, Lengerich 1951).

Seite 83 ist eine Nachzeichnung von Arno Schmidts Umschlagentwurf für *Seelandschaft mit Pocahontas*.

Die Zeichnung auf Seite 87 bezieht sich auf die Lithographie *Die große Lähmung* von A. Paul Weber, einem von Schmidt geschätzten Maler und Grafiker und Mitglied der Hamburger Griffelkunst-Vereinigung.

Eine Imitation des Umschlagmotivs von Schmidts Debüt *Leviathan* findet sich auf Seite 129.

Das Badeanzugmodell auf Seite 133 gibt Schmidts Inspirationsquelle für die Figur der Franziska in *Zettel's Traum* wieder. Ein Foto dieses Bademodenmannequins diente ihm als Vorlage für diese Frauenfigur.

Die Zeichnung auf Seite 136 ist an die Umschlagzeichnung der Erstausgabe von *Kaff auch Mare Crisium* angelehnt.

Einige andere Motive sind nachgezeichnete Fotografien aus dem Magazin *Die Gondel* und aus Neckermann-Katalogen der 1950er Jahre.